A mis amores.

Selma

1ª edición: Noviembre 2009
5ª reimpresión: Noviembre 2012

© 2012, Ediciones Jaguar
www.edicionesjaguar.com
jaguar@edicionesjaguar.com

Traducción: Carlos López Ortiz
ISBN: 978-84-96423-72-5
Depósito legal: M-37468-2012

© Ediciones Philippe Auzou, Paris (Francia)
2009, Bisous Bisous

—Un **beso** es muy dulce,

como algodón acariciando tu mejilla.

–Pero a veces, pincha como un cactus...

–¿Y duele?

–No, no duele nada.

Al contrario, ¡es **divertido**!

–El de mi abuelo no pincha,

es como un **algodón de azúcar.**

Pero cubre completamente mi cara y entonces...

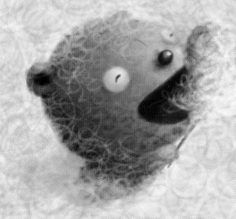

No veo nada cuando está en *mi mejilla.*

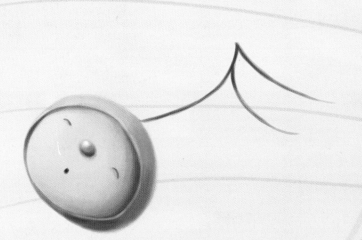

—El de mi abuelita hace ruido,

¡suena **muy fuerte**!

Es como si estuviera comiéndose una piruleta,

¡hace mucho ruido!

—¿Suenan? ¡Qué gracioso!

¿Y los hay que se puedan ver?

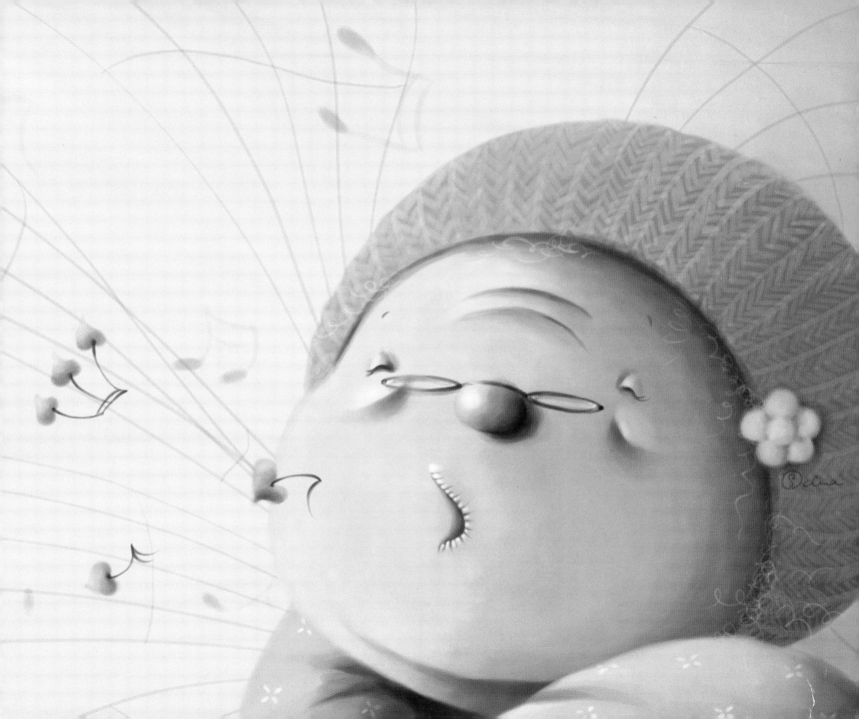

–Por supuesto, los besos de Christophe son todos

de **chocolate**.

Siempre se le olvida limpiarse la boca.

–¡Ah! ¡Está bien como **beso**!

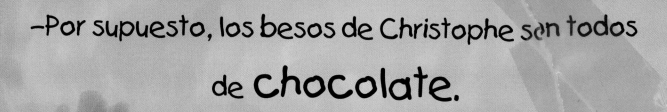

–Hay **besos** que son todavía más dulces...

Pero cada vez que me los dan me pongo rojo...

–A veces, también hay **besos** muy húmedos...

–¿ De quién son esos besos ?

–¡ De **Rex** !

—¡Todo el mundo te da un montón de **besos**!

—Sí, eso es porque me quieren.

¡Todos me dan muchos **besos**!

–¿Ahora comprendes qué es un **beso**?

Hay muchos y todos son únicos,

¡es **magnífico**!

–Pues lo siento pero aún no veo del todo

cómo es un beso exactamente.

–¿ Ah, no ? Pues ten...

–Hmmmm... es dulce, es templadito, es fresco...

¡Es **delicioso!**

¿ Me podrías dar muchos más ?

–Claro, porque **te quiero...**